EL ENCANTO DEL CARACOL

por Joanne Ryder

Ilustraciones de Lynne Cherry

SCHOLASTIC INC.
New York   Toronto   London   Auckland   Sydney

Text copyright © 1982 by Joanne Ryder.
Illustrations copyright © 1982 by Lynne Cherry.
Spanish translation copyright © 1993 by Scholastic Inc.
All rights reserved. Published by Scholastic Inc., by arrangement with
Edite Kroll Literary Agency and Puffin Books, a division of
Penguin Books USA Inc.
Printed in the U.S.A.
ISBN 0-590-48127-4

3 4 5 6 7 8 9 10   08   00 99 98

A mis primos
Brett
Douglas
Eric
Erin
James
Jeffrey
Kelly
Matthew
Meghan
Melanie
Shaun

J.R.

A mi maravillosa
abuela
Bessie Cogan

L.C.

Imagínate
que eres muy blando
y no tienes huesos.
Imagínate
que eres gris,
del color del humo.

PIMIENTO MORRÓN

LECHUGA

BERENJENA

CALABACÍN

Te estás encogiendo.

Eres
más
y más
pequeño.

9

Tu cuerpo blando y gris
de apenas dos pulgadas
reposa sobre la tierra tostada.
Imagínate que no tienes brazos,
ni piernas.
Imagínate que no puedes correr
ni caminar.

BRÓCOLI

PIMIENTO
MORRÓN

BERENJENA

11

Ahora te deslizas
abriendo una senda
pegajosa y resbaladiza.
Es fácil, fresco
y cómodo
moverse así.

BRÓCOLI

14

Tienes una cabeza
y una boca
con hileras de dientes diminutos,
¡pero tus dientes están en la lengua!
Comes
sacando la lengua
y llevando
trocitos de lechuga
a tu minúscula boca.

BRÓCOLI

Te deslizas lentamente
por el suelo húmedo,
y todo lo tocas
con tus dos antenitas.

17

De tu cabeza salen
dos largas antenas
que se estiran
y se estiran
hasta parecer
unos grandes cuernos.

18

Tus pequeños ojos negros
están en la punta de las antenas.
Un ojo busca el brillo de la luz,
mientras el otro ojo se esconde
detrás de una hoja de lechuga.
Allí reina la oscuridad.

De pronto, tu antena
nota algo entre las sombras—
se mueve,
¡está vivo!
Recoges la antena
en un instante.
Ocultas tu ojo
para protegerlo del peligro.
Tu ojo se desliza
hacia el interior
de tu cabeza.

Cuando ha pasado el peligro,
tu ojo se despliega suavemente
para ver de nuevo el mundo.
Eres blando y pequeño,
eres lento, y te deslizas
de arriba a abajo,
de un lado a otro.

CALABA

Sobre tu espalda
se enrosca una concha
ligera.
Forma parte de ti
y crece contigo.

27

Cuando quieres descansar,
nunca te falta un lugar.
Primero recoges las antenas
y las escondes en tu cabeza.
Luego acurrucas tu cuerpo
blando y gris dentro
de la concha.
Y te duermes.

FRIJOLES

BRÓCOLI

PIMIENTO MORRÓN